LES

DRAGOUILLES

LES JAUNES DE **BARCELONE**

MAXIM CYR & KARINE GOTTOT

LES

DRAGOUILLES

LES JAUNES DE **BARCELONE**

ÉDITIONS
Michel
Quintin

Mot des auteurs

Hola !

On dit qu'on ne fait pas d'omelette sans casser des œufs. En tout cas, une chose est certaine, on ne fait pas un livre sur Barcelone sans casser d'assiettes ! Vous vous demandez pourquoi ? Eh bien, vous le découvrirez sous peu.

Barcelone se situe au nord-est de l'Espagne, entre mer et montagne, dans une communauté autonome (région) que l'on nomme la Catalogne.

Cette ville a le cœur à la fête. Pour profiter de toute cette effervescence, il faut être prêt à se coucher très tard. Heureusement, après la *festa*, il y a la *migdiada* ! Nous avons pratiqué avec plaisir l'art du *farniente*. En quoi cela consiste-t-il ? Il s'agit de ne rien faire du tout. Pas mal, non ?

Êtes-vous prêts à tenter l'expérience ? Installez-vous bien confortablement en position semi-assise, votre livre des dragouilles à la main, et savourez ce moment d'oisiveté extrême.

- *Max* et *Karine* -

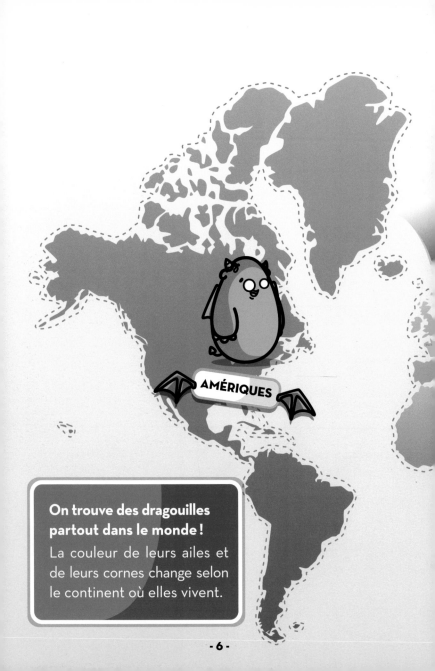

AMÉRIQUES

On trouve des dragouilles partout dans le monde !

La couleur de leurs ailes et de leurs cornes change selon le continent où elles vivent.

EUROPE

ASIE

AFRIQUE

OCÉANIE

VOICI LES DRAGOUILLES QUE TU VAS RENCONTRER :

LES JUMEAUX

Les jumeaux se croient les pros des jeux de mots. Pourtant, ils sont souvent les seuls à se trouver rigolos !

L'ARTISTE

C'est la plus créative de la bande. Elle dessine partout, même sur sa voisine !

LA BRANCHÉE

Voici la dragouille ultra-tendance. Tellement branchée qu'elle électrise tout sur son passage.

LA GEEK

Cette dragouille a hérité d'un petit extra de neurones entre les deux oreilles. À elle seule, elle fait remonter la moyenne du groupe !

LE CUISTOT

Cette dragouille à toque sait cuisiner bien plus que des tapas ! Pâté d'anchois à la sauce poubelle, ça te dit ?

LA REBELLE

La rebelle est la dragouille casse-cou et casse-tout. Elle ne craint rien ni personne. C'est une sacrée friponne !

LES JAUNES

Te voici dans l'univers coloré et joyeux des dragouilles jaunes de Barcelone. Toujours prêtes à célébrer et à se faire aller la patate sur des rythmes endiablés, ces petites créatures adorent en mettre plein la vue.

Ne sois pas trop sérieux et laisse-toi surprendre par leur grande originalité et leur petit côté disjoncté.

LES JUMEAUX

Le Barri Gòtic (« quartier gothique ») est la partie la plus ancienne de la ville. Tu peux même y apercevoir des vestiges qui datent de l'époque romaine.

Ai-je bien compris ?

À BARCELONE, IL Y A DEUX LANGUES OFFICIELLES. IL S'AGIT DE L'ESPAGNOL (CASTILLAN) ET DU CATALAN.

Certains mots espagnols et catalans font penser à des mots français tout en n'ayant pas du tout la même signification. Les jumeaux se sont amusés à en trouver quelques-uns pour toi.

DE L'ESPAGNOL AU FRANÇAIS :

Gato
Chat

Yo
Je

Arena
Sable

Salir
Sortir

Subir
Monter

Peine
Peigne

C'est géant !

À BARCELONE,
ON AIME FAIRE LA « FESTA ».

Chaque année, à la fin du mois de septembre, la ville vibre au rythme de sa plus grande fête de rue : *la Festa de la Mercè*. Les Barcelonais célèbrent alors pendant quatre jours. Les concerts, les représentations de sardane (la danse nationale de la Catalogne), les feux d'artifice et les pièces de théâtre sont autant d'événements auxquels on peut assister.

Le spectacle le plus apprécié des jeunes est sans aucun doute le défilé des géants, pendant lequel de gigantesques personnages arpentent les rues de Barcelone pour le plaisir des petits et des grands.

L'artiste

Qu'est-ce que tu fais ?

Je fais une mots-zaïque.

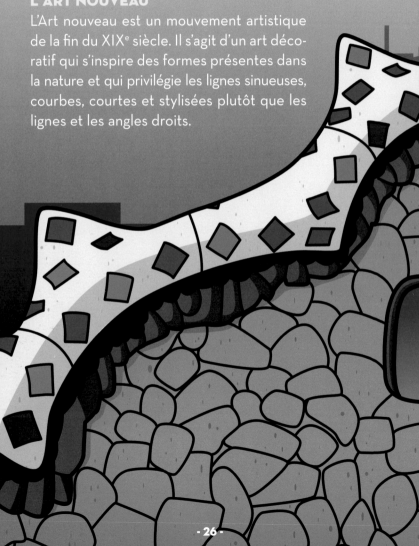

L'ART NOUVEAU

L'Art nouveau est un mouvement artistique de la fin du XIXe siècle. Il s'agit d'un art décoratif qui s'inspire des formes présentes dans la nature et qui privilégie les lignes sinueuses, courbes, courtes et stylisées plutôt que les lignes et les angles droits.

Pique-assiette

LA MOSAÏQUE EST UN ART DÉCORATIF TRÈS PRÉSENT À BARCELONE. ON PEUT CONTEMPLER CES FRAGMENTS D'ORIGINALITÉ AUX QUATRE COINS DE LA VILLE.

Antoni Gaudí est un célèbre architecte catalan. Plusieurs de ses œuvres te seront présentées, car son style audacieux et coloré plaît beaucoup aux dragouilles. Elles s'y reconnaissent, en quelque sorte.

Gaudí utilisait une technique du nom de « trencadis » ou « pique-assiette » qui consiste à créer de la mosaïque à partir de fragments de céramique ou d'autres matériaux faciles à casser. Adepte du réemploi bien avant l'heure, Gaudí recyclait tout ce qu'il pouvait. On peut, par exemple, voir dans ses œuvres des morceaux d'assiettes ou de bouteilles de verre. Il fut le premier à utiliser la technique du trencadis sur des surfaces courbées et irrégulières.

LE PARC GÜELL

Certaines des plus belles œuvres en trencadis de Gaudí et de son disciple Josep Maria Jujol se trouvent au parc Güell. Cet endroit magique a été conçu par Gaudí à la demande du comte Eusebi Güell. Ce jardin est un heureux mélange de nature et d'architecture.

Une salamandre couverte de trencadis t'accueille à l'entrée et t'invite à te rendre sur une grande esplanade d'où tu peux contempler la ville jusqu'à la mer. C'est sur cette terrasse que se trouve le célèbre banc ondulé dont les couleurs et les reflets émerveillent les promeneurs.

J'aime la mosa. Hic !

FAIS DE TOI UN PIQUE-ASSIETTE !

VOICI COMMENT RÉALISER UNE DRAGOUILLE INSPIRÉE DES ŒUVRES DE GAUDÍ.

Afin d'éviter que tu casses toute la vaisselle de la maison, des morceaux de coquilles d'œufs remplaceront les fragments de céramique.

Il te faut :

- 5 œufs blancs
- Le dessin d'une dragouille que tu auras fait toi-même ou que tu auras téléchargé, puis imprimé dans la section « Bric-à-brac » du site Web de la série : lesdragouilles.com
- Du colorant alimentaire (au moins trois couleurs différentes)
- Des petits bols (un par couleur)
- De la colle blanche
- Un pinceau

1. Casse les œufs et conserve les coquilles. Ne gaspille pas les œufs, tu pourras les utiliser pour faire une omelette.

2. Lave délicatement les coquilles sous l'eau du robinet et enlève la membrane intérieure avec tes doigts.

3. Casse les coquilles en plus petits morceaux.

4. Répartis ces morceaux dans les bols.

5. Recouvre d'eau les coquilles et ajoute environ 5 gouttes de colorant d'une couleur différente dans chaque bol. Plus tu en mettras, plus la couleur que tu obtiendras sera vive. Laisse reposer tes préparations toute une nuit.

6. Retire les coquilles de l'eau et laisse-les sécher sur du papier absorbant.

7. Ensuite, amuse-toi à placer des morceaux de coquille sur ta dragouille en ne laissant pas trop d'espace entre eux.

8. Lorsque le résultat te plaît, enlève quelques morceaux et mets de la colle sur le papier à l'aide du pinceau. Dépose ces morceaux sur la colle pour les fixer.

9. Continue jusqu'à ce que ta dragouille devienne une belle mosaïque en coquilles d'œufs.

Tu danses ?

Non, je chasse les « mosquits » !

SPLASH !

TU TE SENS STRESSÉ ? TU AS LE DOS ENDOLORI ET LES OS QUI CRAQUENT ? VIENS TE RELAXER AU FLOTARIUM.

Un flotarium est une grande sphère de plastique remplie de 600 litres d'eau et de 300 kilos de sel d'Epsom dans laquelle on t'invite à t'immerger. Cette grande quantité de sel te fait remonter à la surface et flotter. Tu ne sens plus le poids de ton corps, comme si tu étais de nouveau bien au chaud dans le ventre de ta maman. Cet état d'apesanteur peut aussi te donner l'impression d'être en voyage dans l'espace.

La sphère peut se fermer, empêchant ainsi la lumière d'y pénétrer. Tu n'aimes pas le silence ? Demande alors qu'on te mette de la musique douce.

Après une séance d'une heure, tu seras complètement détendu et totalement zen. En plus, tu auras la peau douce comme la soie !

HAUT LES MAINS!

Ces personnes sont peut-être tout simplement en train de danser la sardane, une danse traditionnelle catalane. Les danseurs forment un cercle, se tiennent par la main et lèvent les bras, tout en exécutant de petits pas bien précis et en tournant lentement. Attention aux maladresses ! Un faux pas peut faire perdre le rythme à tout le groupe.

Pendant que les danseurs tournent au son de la musique jouée par une *cobla* (groupe de musiciens), d'autres peuvent venir se joindre à eux pour que le cercle s'agrandisse encore et encore. Il s'agit d'un beau spectacle où tout le monde est invité à participer, peu importe son âge. Les Catalans considèrent même la sardane comme un symbole d'unité et de fierté.

Qui m'aime me suive !

une petite gêne

BARCELONE EST UNE VILLE TRÈS BRANCHÉE. LA MODE EST OMNIPRÉSENTE. C'EST LE PARADIS POUR CEUX QUI AIMENT COURIR LES MAGASINS. EN ÉTÉ, LES VITRINES DES BOUTIQUES PROPOSENT DES VÊTEMENTS AUX COULEURS VIVES ET ÉCLATANTES.

Dans les rues de Barcelone, différents styles vestimentaires se côtoient. Il y a de tout ! Des hippies aux cheveux longs, des punks aux cheveux colorés et dressés en crêtes, des « skaters » aux vêtements amples, des branchées aux tenues griffées, etc.

La mairie de Barcelone reconnaît le droit individuel du libre-habillement. Cela signifie que dans cette ville tu peux t'habiller comme bon te semble, mais aussi que tu peux ne pas t'habiller du tout. Eh oui ! Tu as bien lu ! À Barcelone tu as le droit de te balader nu comme un ver, en plein centre-ville. Aucune loi ne l'interdit.

Attention, cela ne veut pas dire pour autant que tous les Barcelonais s'exhibent dans le plus simple appareil.

Loin de là. En fait, seulement quelques personnes, souvent des touristes, profitent de cette permission pour se promener les fesses au vent. Pour encore combien de temps? Là est la question.

Peut-être qu'au moment où tu liras ce texte, un nouveau règlement interdisant de se dévêtir ailleurs qu'à la plage sera en vigueur. Dans ce cas, il faudra se garder une petite gêne.

SAINT-VALENTIN AMÉLIORÉE

À BARCELONE, LE 23 AVRIL EST UN DES JOURS LES PLUS ROMANTIQUES DE L'ANNÉE !

Ce jour-là, les Barcelonais rendent hommage au saint patron de la Catalogne, Sant Jordi (saint Georges). En fait, ils profitent surtout de l'occasion pour célébrer l'amour et la culture. La Sant Jordi est aussi appelée « el día de la Rosa », le jour de la rose ou « el dia del llibre », le jour du livre. La coutume veut que les hommes offrent une rose à leur bien-aimée et qu'en retour celle-ci leur donne un livre.

Les marchands de fleurs et de livres envahissent différents coins de la ville, mais tout particulièrement les Ramblas, cette magnifique avenue piétonnière. Il est même possible de trouver des roses multicolores ! L'ambiance est festive, car danseurs, chanteurs et comédiens participent à l'événement.

Cette date est aussi très symbolique, puisque deux des plus célèbres auteurs de tous les temps, Shakespeare et Cervantès, sont décédés le 23 avril 1616. Il paraît qu'à la fin de cette journée, il est difficile de trouver une femme qui n'ait pas une rose à la main. Que de romantisme !

Cervantès est un auteur espagnol très connu qui a écrit la fameuse histoire de « Don Quichott e ». Le 23 avril est aussi la journée mondiale du livre et du droit d'auteur.

Devinettes

1) COMMENT APPELLE-T-ON QUELQUE CHOSE DE DOUBLEMENT BON ?

2) QUELLE EST LA DIFFÉRENCE ENTRE UNE MOUETTE ET UN GOÉLAND ?

3) QU'EST-CE QUI EFFRAIE LE PLUS UNE SARDINE ?

4) QUEL SERAIT LE COMBLE DU SUCCÈS POUR UNE ARAIGNÉE ?

5) QUE DONNE LE CROISEMENT D'UNE POMME DE TERRE AVEC UN OIGNON ?

6) QU'EST-CE QUI A VINGT-DEUX PIEDS ET QUI COURT SUR LE GAZON ?

7) POURQUOI LES FLEUVES DÉBORDENT-ILS, MAIS PAS LA MER ?

8) QUE FAIT UNE VACHE COURAGEUSE ?

1) UN BONBON 2) LA MOUETTE EST RAPIDE ET LE GO-EST-LENT 3) SE FAIRE METTRE EN BOÎTE 4) EXPOSER SES TOILES DANS UNE GALERIE D'ART 5) UNE PATATE QUI PLEURE 6) UNE ÉQUIPE DE FOOTBALL 7) PARCE QUE DANS LA MER, IL Y A LES ÉPONGES 8) ELLE PREND LE TAUREAU PAR LES CORNES

Idea

Un pot de fleurs sur roues qui se déplace en fonction de la position du soleil ou une tasse munie d'un petit creux pouvant contenir quelques biscuits, voici le genre d'objets inusités que tu peux voir au miba : le Musée des idées et des inventions de Barcelone.

En plus de te faire découvrir des objets originaux, pratiques ou parfois absurdes, la visite de ce musée ne manquera pas de t'étonner. Une fois passé la porte principale, tu marcheras sur un plancher de verre : ce qui te donnera l'impression d'être suspendu dans les airs. Pour te rendre à l'étage inférieur du miba, tu n'auras qu'à te laisser glisser dans un gigantesque toboggan. Ce n'est pas tout. Tu accéderas aussi à une zone de résonance où tu entendras ta voix de façon très inhabituelle.

Je me suis métamorphosée en idée !

Qui sait ? Cette visite au miba fera peut-être germer en toi une idée originale ? Tu seras peut-être le prochain inventeur d'un gadget qui deviendra mondialement connu !

GAUDÍ, génie!

ANTONI GAUDÍ EST UN ARCHITECTE CATALAN QUI A INSUFFLÉ UN VENT DE MODERNITÉ À LA VILLE DE BARCELONE.

Il a vécu de 1852 à 1926. Il fut un des premiers à mélanger les principes de l'architecture à ceux de la décoration. Pour réaliser ses œuvres, Gaudí s'inspirait des formes que l'on trouve dans la nature. Il était très minutieux et accordait de l'importance au moindre détail.

Sept des œuvres de Gaudí sont classées «patrimoine mondial» par l'UNESCO. Ce n'est pas peu dire pour un homme qui souhaitait créer des monuments uniques au monde!

LA CARRIÈRE

La Casa Milà, commande faite par la famille Milà, porte aussi le nom de La Pedrera («la carrière») parce que Gaudí se serait inspiré de falaises situées près de Barcelone pour créer cette œuvre. La façade est ondulée et les balcons sont ornés de fer forgé en forme de végétaux. Sur le toit se trouve une magnifique terrasse. Le génie de Gaudí nous surprend encore une fois lorsqu'on aperçoit toutes les cheminées auxquelles il a donné la forme de soldats. Cette terrasse est ouverte au public, c'est un des endroits les plus visités de Barcelone.

L'UNESCO est l'Organisation des Nations Unies pour l'éducation, la science et la culture.

LA MAISON DES OS

En 1904, un riche industriel demande à Gaudí de refaire la façade de son édifice. Gaudí redessine alors chaque pièce et élimine tous les angles droits dans l'édifice qui est aujourd'hui connu sous le nom de Casa Batlló.

La façade de la maison est très colorée. Les balcons et les colonnes font penser à des crânes et à des os, d'où son surnom de *Casa dels Ossos* qui signifie « Maison des os ».

Ce n'est pas tout ! L'imagination de Gaudí ne s'arrête pas là ! Le toit de la maison ondule comme le dos d'un dragon. Les tuiles de céramique ressemblent à des écailles. Si tu t'y rends, ouvre bien les yeux, car inutile de te dire que ce toit est très fréquenté par des petits dragons patates !

Trouves-tu que ça fait ressortir mon petit côté dragon ?

LA SAGRADA FAMÍLIA

BRRRRRRR BRRRRRRR TOC-TOC-TOC

Ce sont les bruits que l'on entend en s'approchant de la Sagrada Família; le plus célèbre chef-d'œuvre architectural de Barcelone créé par le non moins célèbre architecte Gaudí.

Pourquoi tout ce vacarme? Parce la construction de cette immense cathédrale dure depuis plus d'un siècle. Gaudí avait commencé à y travailler en 1884. Il considérait d'ailleurs ce chantier comme le projet de sa vie.

Pour concevoir la Sagrada Família, Gaudí s'inspira, entre autres, des formes observées dans la nature. Architecte minutieux, il soigna chaque détail. Le moindre élément est chargé de symboles. Rien n'est là sans raison. Même le sommet des flèches est orné d'inscriptions invisibles à l'œil nu. « Les anges les verront », répondait Gaudí lorsqu'on lui faisait remarquer que personne ne les verrait.

UNE ŒUVRE ENCORE INACHEVÉE

En 1926, Gaudí fut renversé par un tramway, juste devant la Sagrada Família en construction.

Depuis, le chantier se poursuit et le défi est énorme pour ceux qui tentent aujourd'hui encore de mener à terme cette œuvre magistrale en respectant le plus possible la vision de son créateur. Gaudí est bien placé pour y veiller puisqu'il est enterré dans la crypte de la Sagrada.

La fin des travaux est prévue pour 2040. Tu auras donc peut-être la chance de voir de tes propres yeux la Sagrada Família achevée.

En 2010, le pape Benoît XVI a consacré la basilique de la Sagrada Família.

Charade

MON PREMIER EST LE MOT CHAT EN ANGLAIS
MON SECOND EST LA PREMIÈRE LETTRE DE L'ALPHABET
MON TROISIÈME EST LE CONTRAIRE DE RAPIDE

**MON TOUT EST UNE DES DEUX LANGUES OFFICIELLES
DE BARCELONE**

RÉPONSE : CAT - A - LENT (CATALAN)

SURVOL

Une dragouille vient de survoler ce monument.

DEVINE DUQUEL IL S'AGIT.

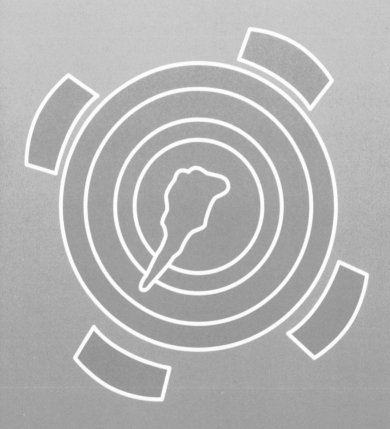

RÉPONSE : LA STATUE DE BRONZE DE CHRISTOPHE COLOMB QUI TEND LE BRAS EN DIRECTION DES AMÉRIQUES.

- 53 -

LE défi
DE LA geek

Peux-tu découvrir le secret de Gaudí?

GAUDÍ A PLACÉ CE CARRÉ MAGIQUE SUR LA FAÇADE DE LA SAGRADA FAMÍLIA. OBSERVE-LE BIEN ET TENTE DE TROUVER LE SECRET QU'IL CACHE.

Réponse

En additionnant les chiffres de chaque rangée, colonne ou diagonale de ce carré d'ordre 4 (quatre cases sur quatre cases), on obtient invariablement la somme de 33. On parvient aussi à cette somme par 310 regroupements de quatre cases, par exemple, en additionnant les chiffres se trouvant aux quatre coins du carré magique.

Le chiffre 33 a bien évidemment une signification. Avec Gaudí, il n'y a jamais de hasard. Il s'agit de l'âge qu'avait Jésus-Christ à sa mort.

Il faut dire que Gaudí a triché un peu pour arriver à ce résultat. Habituellement, un carré magique d'ordre 4 donne la constante 34 en utilisant les nombres de 1 à 16. Pour obtenir le chiffre de 33, il a remplacé le 12 et le 16 et répété

LE CUISTOT

Bon ! Il ne me reste plus qu'à ajouter les moules dans la *paella*.

Je crois que ça devrait faire l'affaire !

Oh ! Ce n'est pas facile à mélanger, des moules !

Chouette sucette

LA CHUPA CHUPS EST LA SUCETTE LA PLUS POPULAIRE AU MONDE.

Cette délicieuse friandise a été inventée en 1958 par un confiseur catalan du nom d'Enric Bernat. Un succès phénoménal ! Il se vend quatre milliards de sucettes Chupa Chups par année, dans plus de cent soixante pays. En 1969, Enric Bernat désire avoir un nouveau logo pour sa sucette. Il fait alors appel au célèbre peintre Salvador Dalí qui s'inspire d'une marguerite pour lui dessiner une jolie fleur.

Il existe plusieurs saveurs de Chupa Chups, mais elles ne sont pas les mêmes dans tous les pays. Il y a des préférences locales. Par exemple, les Russes préfèrent les sucettes à la fraise alors que les Allemands aiment mieux le goût de la réglisse.

LES DRAGOUILLES ONT UN PETIT PENCHANT POUR QUELQUES SAVEURS.

Voici celles qu'elles aimeraient suggérer à la compagnie : fricassée d'ordures, poisson frit, fromage pourri et pain moisi.

Ouf ! Papilles sensibles s'abstenir !

Je suis emballé par le goût des Chupa Chups !

L'art du grignotage

EN ESPAGNE, LES HEURES DE REPAS SONT SURPRENANTES !

Les gens ne se mettent pas à table pour le dernier repas de la journée avant 22 h. Comment font-ils pour tenir jusqu'à cette heure-là ? Eh bien, ils grignotent !

Les tapas, genre de hors-d'œuvre, sont parfaites pour combler les petits creux.

Le mot *tapa* signifie « couvercle » en espagnol. Les histoires sur l'origine de ce petit en-cas sont nombreuses. Certains racontent qu'un jour, un aubergiste aurait eu l'idée de recouvrir le verre de ses clients d'une tranche de jambon pour éviter qu'une mouche n'y tombe. D'autres affirment plutôt que ce serait le roi Alphonse X qui aurait obligé tous les aubergistes de son royaume à accompagner le vin qu'ils servaient d'une tranche de jambon pour éviter que les gens aient la tête qui tourne trop rapidement !

Aujourd'hui, les tapas sont variées, originales et très savou-

Recettes

Invite des amis à partager des tapas que tu auras préparées.

Tapas dragouilles

- 4 œufs durs
- 8 câpres
- 1 carotte
- 1 feuille de laitue
- Olives vertes ou noires

1. Coupe les œufs en deux et dispose-les de façon à ce que le jaune soit face à l'assiette.

2. Creuse des petits trous pour faire les yeux et déposes-y les câpres.

3. Coupe deux morceaux de carotte pour les cornes.

4. Déchire des petits morceaux de laitue pour faire les ailes de tes dragouilles.

5. Termine ta présentation en plaçant des olives un peu partout dans l'assiette.

Mini-brochettes

- 10 tomates cerises
- 1 saucisson chorizo
- 10 cubes de fromage
- Baguettes à brochettes

Prépare environ cinq brochettes en alternant : tomates, morceaux de chorizo et fromage. Tu peux aussi remplacer le chorizo par des morceaux de jambon. Il te faudra sans doute couper les baguettes à l'aide de ciseaux.

Patatas bravas

- 2 grosses pommes de terre
- 60 ml (1/4 tasse) de sauce tomate
- 2 gouttes de tabasco
- 30 ml (2 c. à soupe) d'huile d'olive
- 60 ml (1/4 tasse) de mayonnaise
- 1 gousse d'ail
- Cure-dents

1 Lave les pommes de terre avec la pelure.

2 Coupe-les en deux et fais-les bouillir 15 à 20 minutes jusqu'à ce qu'elles deviennent tendres.

3 Laisse-les refroidir et coupe-les ensuite en cubes.

4 Fais chauffer l'huile dans une poêle.

5 Mets les pommes de terre dans la poêle et fais-les dorer de chaque côté.

6 Dispose tes braves petites patates dans un ramequin.

7 Mets la sauce tomate dans une petite casserole, ajoute le tabasco et fais chauffer le tout trois minutes à feu doux ou 30 secondes au micro-ondes.

8 Nappe les pommes de terre de cette sauce tomate.

9 Écrase la gousse d'ail et mélange-la à la mayonnaise.

10 Mets un peu de cette mayonnaise sur les pommes de terre ou dans un petit bol pour que tes invités puissent y tremper leurs bouchées.

11 Termine la présentation en piquant des cure-dents dans les pommes de terre.

LA REBELLE

LES STATUES

Le long des Ramblas, tu peux contempler de nombreuses statues humaines toutes plus originales les unes que les autres.

Le taureau distingue à peine les couleurs. Ce n'est donc pas le rouge du tissu qui excite cette bête, mais bien le mouvement.

AGENT PATATE

PSST, PSST! OUI, C'EST À TOI, SUPER LECTEUR DES DRAGOUILLES, QUE CE MESSAGE S'ADRESSE. MÊME SI TU LIS LA CHRONIQUE SUIVANTE DANS TA TÊTE, FAIS-LE MOINS FORT, CAR CES INFORMATIONS DOIVENT RESTER «TOP SECRET»!

As-tu déjà rêvé d'être un agent secret? Si oui, la Caverne de l'espion est un endroit pour toi. Cette boutique, ouverte depuis une vingtaine d'années, propose une multitude de gadgets pour espions.

Par exemple, tu pourras y trouver des lunettes à miroirs rétroviseurs, des appareils photo miniatures dissimulés dans des tournevis, stylos ou calculatrices. Tu pourras aussi y dénicher des dispositifs permettant d'entendre à travers les murs ou encore de modifier la voix.

Nous en avons déjà trop dit. Nous espérons que cette chronique ne s'autodétruira pas dans les prochaines secondes. On ne sait jamais, il y a peut-être une petite caméra cachée dans ton livre des dragouilles.

OLÉ!

Le mot « corrida » vient du mot espagnol *correr* qui signifie « courir ». La corrida est une tradition très ancienne dans laquelle s'affronte l'homme (le torero) et le taureau. Ce combat se déroule dans une arène devant des centaines de spectateurs et se termine par la mise à mort de la bête.

Jugeant cette coutume cruelle envers les animaux, la ville de Barcelone s'est proclamée anti-corrida en 2004. Une déclaration symbolique, car les combats n'ont pas cessé pour autant. Cependant, quatre ans plus tard, à la suite d'un vote historique, le parlement catalan a interdit les combats taurins dans toute la Catalogne à partir de 2012.

Cette décision a évidemment déçu plusieurs personnes. **Toi ? Qu'en penses-tu ?**

Châteaux humains

VOICI DE MAGNIFIQUES CHÂTEAUX QUI MÉRITENT LE DÉTOUR. MAIS ATTENTION, ILS SONT ÉPHÉMÈRES. LEUR CONSTRUCTION NÉCESSITE DE L'ÉQUILIBRE, DU TRAVAIL D'ÉQUIPE ET UNE BONNE DOSE DE « JUS DE BRAS ».

La formation de *castells* est une tradition catalane qui remonte à la fin du XVIIIe siècle. Elle consiste à ériger d'immenses tours humaines. Les gens qui participent à la réalisation de ces exploits se nomment *castellers*. Ces manifestations se déroulent le plus souvent à l'occasion de fêtes locales.

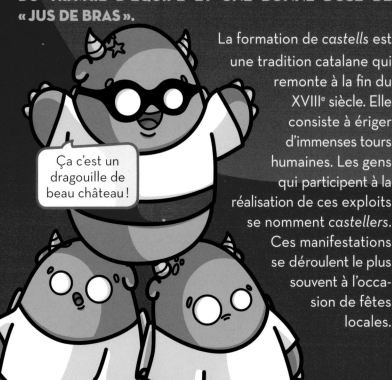

Ça c'est un dragouille de beau château !

LES « CASTELLS » COMPRENNENT TROIS PARTIES DISTINCTES :

La *pinya* ou base

Sa formation nécessite une mêlée compacte d'individus qui a pour fonction de stabiliser la tour et lui permettre de s'élever. Même les spectateurs peuvent participer à la *pinya*.

La *torre* ou tour

Elle se compose d'un nombre précis de personnes pour former chaque étage. Ce nombre varie selon le type de château que l'on souhaite ériger. Pour des constructions complexes, des bases supplémentaires appelées *folres* et *manilles* sont parfois nécessaires.

Le *pom de dalt* ou pommeau du haut

Il désigne les trois derniers étages du château. À cette étape, on fait souvent appel à des enfants parce qu'ils sont plus légers. À la toute fin, un enfant grimpe au sommet de la tour et, une fois arrivé tout en haut, il lève le bras et salue la foule en délire. C'est de cette façon que l'on couronne le château. Mais attention! Il faut maintenant défaire cette structure sans tomber et se casser la margoulette.

Toutou voyageur

VOYAGER ET DÉCOUVRIR DE NOUVEAUX HORIZONS, N'EST-CE PAS FORMIDABLE ? AS-TU DÉJÀ PENSÉ QUE TON TOUTOU PRÉFÉRÉ POURRAIT, LUI AUSSI, AVOIR ENVIE DE PARCOURIR LE MONDE ?

Une agence de voyages pour jouets de Barcelone a pensé à tout. Elle offre la possibilité de faire découvrir la ville à ton toutou. D'abord, celui-ci doit faire un voyage dans une boîte en carton ou une enveloppe afin de se rendre à destination. Ensuite, l'agence s'occupe de faire passer un séjour de rêve à ton petit protégé.

Pour un peu moins de 100 $, ton toutou passera six jours à Barcelone. Il sera photographié dans différents lieux touristiques et les clichés te seront remis sur un CD. Un profil Facebook te permettra aussi de suivre son périple sur Internet.

C'est pour moi une bonne façon de voyager incognito !

IL N'Y A RIEN DE TROP BEAU POUR TON TOUTOU ?

Ouvre un peu plus grand ton portefeuille et choisis un forfait qui lui permettra d'aller se prélasser sur la plage et d'aller faire des tours de manège dans un parc d'attraction. Ton petit trésor pensera aussi à toi et il te rapportera des petits souvenirs de la ville.

Tu trouves ça complètement fou ? Tu as bien raison ! De toute façon, si un jour tu voyages à Barcelone, tu ne seras pas surpris de te retrouver assis à côté d'un ourson en peluche pendant un tour de ville en autobus.

TIBIDABO

Tibidabo est un parc d'attractions qui date de plus de 100 ans, situé sur le point le plus élevé de la ville de Barcelone.

au revoir

Une mosaïque de dragouilles se forme devant vous pour vous dire au revoir et vous donner rendez-vous chez leurs consœurs d'un autre continent.

En attendant ce prochain rendez-vous, n'oubliez pas de lever les yeux vers le ciel de temps en temps. On ne sait jamais qui pourrait être en train de vous observer !

GLOSSAIRE

Castells : châteaux en catalan.

Farniente : mot d'origine italienne
qui signifie «douce oisiveté».

Festa : fête en catalan.

Hola : bonjour en catalan et en espagnol.

Idea : idée en catalan et en espagnol.

Migdiada : sieste en catalan.

Mosquits : moustiques en catalan.

Oisiveté : inactivité.

Paella : plat espagnol à base de riz au safran
mélangé avec des moules, de la viande, etc.

Patata : patate en catalan et en espagnol.

Ramequin : petit plat
allant au four.

Viens nous voir en ligne !

LESDRAGOUILLES.COM

LES CRITIQUES SONT UNANIMES...

« QUELLE BELLE DÉCOUVERTE ! »
- CHRISTOPHE COLOMB

« JE N'AI FAIT QU'UNE BOUCHÉE
DE CE 8e TOME ! »
- ALEX, UN AMATEUR DE TAPAS

« GRANDIOSE ! »
- GABRIEL, UN GÉANT

« FRACASSANT ! »
- JACYNTHE, CÉRAMISTE

« TRÈS FESTIF ! »
- NOA, UN OISEAU DE NUIT

LES ORIGINES

MONTRÉAL

PARIS

TOKYO

DAKAR

SYDNEY

NEW YORK

BARCELONE

J'ai beaucoup de cousines !

Catalogage avant publication de Bibliothèque et Archives nationales du Québec et Bibliothèque et Archives Canada

Cyr, Maxim

Les dragouilles

Sommaire: 7. Les bleues de New York -- 8. Les jaunes de Barcelone.
Pour enfants de 7 ans et plus.

ISBN 978-2-89435-529-9 (v. 7)
ISBN 978-2-89435-530-5 (v. 8)

I. Gottot, Karine. II. Titre. III. Titre: Les bleues de New York. IV. Titre: Les jaunes de Barcelone.

PS8605.Y72D72 2010   jC843'.6   C2009-942530-0
PS9605.Y72D72 2010

La publication de cet ouvrage a été réalisée grâce au soutien financier du Conseil des Arts du Canada et de la SODEC. De plus, les Éditions Michel Quintin reconnaissent l'aide financière du gouvernement du Canada par l'entremise du Fonds du livre du Canada pour leurs activités d'édition.

Gouvernement du Québec – Programme de crédit d'impôt pour l'édition de livres – Gestion SODEC

ISBN 978-2-89435-530-5

Dépôt légal – Bibliothèque et Archives nationales du Québec, 2011
Dépôt légal – Bibliothèque et Archives Canada, 2011

© Copyright 2011

Éditions Michel Quintin
4770, rue Foster, Waterloo (Québec)
Canada J0E 2N0
Tél.:   450 539-3774
Téléc.: 450 539-4905
editionsmichelquintin.ca

1 3 - W K T - 3

Imprimé en Chine